CUENTOS EXTRAÑOS

PARA CHICOS
CON PROBLEMAS

NICOLÁS ARRIETA

CUENTOS EXTRAÑOS
PARA CHICOS
CON PROBLEMAS

Obra editada en colaboración con Editorial Planeta Colombiana – Colombia

© 2016, Nicolás Arrieta
© 2016, Cristhian Ramírez

© 2016, Editorial Planeta Colombiana S.A. – Bogotá, Colombia

Derechos reservados

© 2017, Editorial Planeta Mexicana, S.A. de C.V.
Bajo el sello editorial TEMAS DE HOY M.R.
Avenida Presidente Masarik núm. 111, Piso 2
Colonia Polanco V Sección
Deleg. Miguel Hidalgo
C.P. 11560, Ciudad México,
www.planetadelibros.com.mx

Primera edición impresa en Colombia: marzo de 2016
ISBN: 978-958-42-4876-3

Primera edición impresa en México: marzo de 2017
ISBN: 978-607-07-3940-8

Impreso en los talleres de Litográfica Ingramex, S.A. de C.V.
Centeno núm. 162-1, colonia Granjas Esmeralda, Ciudad de México
Impreso en México – *Printed in Mexico*

✝

*Para mis seguidores, por dejarme ser
quien soy y hacer lo que me gusta. Por
quererme por el desgraciado que soy y por
demostrarle al mundo que podemos contra
todos y no necesitamos de nadie.*

- NICOLÁS ARRIETA

ÍNDICE

INTRODUCCIÓN

†

Me pidieron que escribiera una introducción. He hecho varias introducciones de objetos, pero jamás he dedicado mi tiempo a escribir una, así que supondré que es el mismo principio básico: escupir la punta y lentamente introducir el objeto, o en este caso, el libro.

Antes que nada, debo decir que este fue escrito bajo los efectos del alcohol y la locura provocada por varios años de programas de televisión sin sentido, horas desperdiciadas en el inicio de Facebook y comida caducada del refrigerador de mis padres —y por padres me refiero a seres imaginarios que inventé para no sentirme asquerosamente solo durante años—. Ahora sí, comencemos con la introducción del libro, pero por favor no introduzcan este libro en ningún orificio de su cuerpo, sus padres y/o acudientes. Nos podrían demandar y no quiero ir a prisión por algo así... De nuevo.

Cuando se me aproximaron con la idea de escribir un libro (y esta no fue una de las aproximaciones a las que estoy acostumbrado: un hombre en una gabardina susurrando: *Hey, psttt. Sí, tú, ¿quieres divertirte, guapo?*), pensé que tenía que ser algo como yo quisiera, para ser publicado y que la gente inmunda que me sigue lo leyera. ¿Pero quién sería tan estúpido como para comprar algo escrito por mí? Bueno, querido lector, si tienes este libro en tus manos, he aquí la respuesta...

Después de asistir a una reunión en la editorial me explicaron que tenía libertad para escribir sobre el tema que quisiera, y que no habría censura de ningún tipo: drogas, prostitutas, penes, vaginas, alcohol (solo estaba probando que fuera cierto), tomé la decisión de escribirlo.

Se preguntarán: "¿Por qué?", se preguntarán: "¿A mí que carajos me importa?". Bien, para resolver la primera inquietud debo decir que mi interés por los libros viene desde muy temprana edad. Mi padre se sentaba a un lado de mi cama antes de dormir, tomaba un libro de cuentos y me golpeaba con él hasta dejarme inconsciente. Esto despertó un amor hacia la literatura y como esta podría afectar el desarrollo de las capacidades cognitivas del ser humano.

Cuando decidí aprender a leer por mí mismo empecé con las botellas de champú, más tarde fueron las botellas de salsa de tomate, las cajas de cereal, las vallas publicitarias y los tarros de leche: era todo un niño prodigio pronunciando mal palabras supremamente complicadas. Luego, comencé a escribir, mis manuscritos estaban llenos de mala ortografía, pésima cohesión, no tenían sentido y la mayoría de ellos harían sonrojar a una prostituta, pero era feliz de poder escribir algo para mí... aunque en el futuro los leería y me sentiría avergonzado de mí mismo.

Así, sin más preámbulo, los dejo con mis cuentos, algunos escritos hace varios años y otros recientemente. Y recuerden, si no están satisfechos con la compra de este libro lo pueden utilizar como papel higiénico. Ningún animal fue herido durante la fabricación de este libro. 99% libre de gluten. Lavar en seco, no planchar.

Los personajes y las situaciones que leerán a continuación son completamente ficticios. Si algo les recuerda a la realidad, el problema es de ustedes.

†

LA DAMA Y
EL VAGABUNDO

†

Iba a paso lento, después de todo no tenía prisa, jamás la tengo (a menos que tenga diarrea explosiva que, sin importar la prisa que lleves, para cuando llegues a casa siempre va a ser demasiado tarde). Contaba mis pasos mientras encendía un cigarrillo (así es, fumo, pero no por placer, la verdad es que soy demasiado cobarde para suicidarme, entonces prefiero hacerlo como lo hace la gente normal: len-ta-men-te). Fue entonces cuando oí un ruido que provenía de la calle de enfrente.

Al levantar la mirada vi a un imbécil robando a un pobre diablo. No se sabía cuál de los dos tenía la peor suerte, si el ladrón que apuntaba con un arma que se veía que era falsa desde la otra calle, o la víctima que era incapaz de darse cuenta del hecho, tal vez por el temor. Mientras tanto, mi cabeza tomaba la decisión que tomarían todos los ciudadanos de bien frente a una situación de estas: ignorarla y continuar con la vida.

Todavía faltan unas cinco cuadras para llegar a mi destino, y cada una parecía más deprimente que la anterior. Enciendo el último cigarrillo antes de sumergirme en el pozo sin fondo del Internet. Tenía que planear la noche: algunas horas navegando en Facebook viendo la vida de otros y luego, tal vez, uno que otro video porno, de esos de enanos (antes de que me juzguen, deben saber que entre más tiempo lleva soltero un hombre, más asqueroso se vuelve el porno que ve).

Bueno, volviendo a lo nuestro. Cerca del contenedor de basura donde estaba fumando, se asomaba un pie que llamó mi atención. Me acerqué un poco más hacia el basurero y descubrí lo que parecía un vagabundo; olía asqueroso y se veía peor. Sus ropas estaban raídas y sucias, tomé mi celular para hacer una *selfie* y subirla a mi Facebook con el título de "Ey, gente, volví con mi ex" (cualquiera de ustedes haría lo mismo, no me juzguen). Mientras tomaba la foto, me di cuenta de que el indigente asqueroso e inconsciente tenía un rostro hermoso, ¡no lo podía creer!

Sin pensarlo dos veces, tomé a esta mujer y la llevé hacia la puerta de mi casa, que estaba apenas a un par de metros. Debido a su estado inconsciente, tuve que arrastrarla por los hombros. Una vez allí, saqué las llaves de mi bolsillo y abrí la puerta de manera apresurada, mirando cuidadosamente hacia todos lados, asegurándome de que nadie estuviera viendo y malinterpretara la situación (por supuesto que nadie pensaría: "¡Miren a ese buen hombre! Acaba de salvar a alguien inconsciente y seguramente no le va a hacer cosas horribles en su sótano").

Luego, la ayudé a acomodarse en el sofá y traje un poco de agua. Entretanto, preparaba una toalla para ayudarla a bañar. Empecé a quitarle la ropa lentamente y a descubrir su cuerpo desnudo. Para mi sorpresa, su piel no estaba cubierta con una capa de mugre y era bastante blanca. Incliné mi cabeza hacia atrás cuando llegué a sus genitales para evitar verlos, pero me fue imposible. La tomé entre mis brazos y la llevé a la ducha, la senté en el suelo y abrí el grifo. El agua empezó a caer sobre su cabello, luego sobre sus hombros y terminó en sus muslos, mientras yo la ayudaba a limpiarse con una esponja. Tuve que usar bastante champú para limpiar su pelo enmarañado, y con las manos limpié su rostro. Por "error", mis labios rozaron los suyos por unos breves segundos, mi corazón latía rápidamente y por primera vez en muchos años mi estómago sintió un cosquilleo distinto al de la diarrea explosiva de siempre.

Le pedí perdón por mi atrevimiento pero a ella no pareció importarle. Nos besamos bajo el agua de la ducha e hicimos el amor. Me sentía como nunca me había sentido antes, la tomé entre mis brazos y juntos nos fuimos a la cama.

A la mañana siguiente preparé el desayuno, pero ella no quiso comer mayor cosa. Mientras tomaba el café le pregunté sobre su vida, quería saber por qué una mujer tan hermosa como ella había terminado en una situación como esa, de dónde era y si tenía un lugar donde vivir, aunque no parecía tener mucho ánimo para contestar mis preguntas. Miré la hora en el reloj y, ¡mierda!, eran las 9:45, iba demasiado tarde para el trabajo (sí, así es, tengo un trabajo, ¡ja!). Corrí hacia la puerta, me despedí de ella con un beso en los labios, que ella pareció devolver de mala gana.

En el segundo que cerré la puerta entré en un dilema: ¿debería ponerle llave para que no puediera salir? ¿Acaso sería capaz de robarme algo? Me sentí como un niño que recién atrapa un insecto en un frasco y decide taparlo para que no se escape pero vive con el miedo de que muera sin oxígeno allí encerrado.

Puse doble seguro a la puerta y corrí al trabajo. Su rostro se mantuvo en mi mente y no me podía quedar quieto en el escritorio. ¿Han tenido la sensación de que entre más miran el reloj más lento pasa el tiempo? Preferí ausentarme del trabajo y correr hacia sus brazos una vez más, no podía seguir aquí afuera con ella lejos de mí.

Conforme llegué a casa, el pánico me invadió. La zozobra de no saber si seguía aún allí o si había encontrado la forma de escapar (aunque técnicamente no estaría "escapando" porque no la secuestré, pero ya saben cómo son las personas. Aparentemente, está mal visto por la sociedad mantener a alguien dentro de tu casa en contra de su voluntad). Tomé las llaves, abrí la puerta y la encontré en el comedor, parecía estar contenta, la besé y le pregunté cómo había estado su día.

Las semanas pasaron y decidí no volver al trabajo, tenía un poco de dinero ahorrado con el que podía sobrevivir algunos meses sin hacer mucho. Para mí, ella era prácticamente la mujer perfecta, nos llevábamos muy bien, veíamos los mismos programas de televisión, manteníamos conversaciones entretenidas, era muy comprensiva sobre mi pasado pero rara vez hablaba del suyo, no le molestaba el volumen alto de la televisión o que yo estuviera hasta tarde jugando videojuegos. Me sentía en el paraíso. A veces, cuando la miraba a los ojos, parecía que seguía viva.

LA INICIACIÓN

Son las 5:00 de la mañana, llevo dando vueltas sobre la misma historia una y otra y otra vez; así que aquí está (pero antes que nada, la depravación del sueño me está volviendo completamente consciente de cada cosa que escribo, o tal vez me está volviendo loco... aún no estoy seguro. Si llego a asesinar a alguien por favor quemen todo este libro y entiérrenlo junto al cadáver de la persona que asesiné; y si no asesino a nadie, les pido el favor de que anden con cuidado y no se me acerquen mucho, nunca se sabe cuando alguien podría perder la cabeza. Como dice esa antigua poesía persa: "Hace que yo pierda la cabeza por ti, tú la pierdes por mí, te deseo, me deseas", o como sea):

Eran las 3:00 de la mañana cuando sonó el teléfono. Era mi amigo del colegio, Nicolás, un tipo extraño pero supremamente curioso. Yo solía andar con él ya que, aparentemente, nadie más en el colegio quería ser su amigo. En un principio me alegró su llamada, ya saben, por aquello de los viejos tiempos, aunque me sorprendió bastante. No parecía el tipo de persona que usa teléfonos o que tan siquiera le gusta el contacto con otras personas. Su tono de voz sonaba algo nervioso, como si el motivo de su llamada tuviera como objetivo algo más allá que recobrar nuestra antigua amistad. Para que entiendan mejor el resto del relato, a partir de este momento, me veo en la obligación de contar la historia de cómo nos conocimos.

A principios del año 2008, cuando todavía estaba en el colegio, lo conocí. No era una persona común, había en él un aire de locura y lo rodeaba un olor nauseabundo. Se acercó a mí un día mientras almorzaba para preguntarme si tenía servilletas de sobra. Le respondí que sí tenía y él procedió a comérselas, una por una. Mientras las masticaba, me comentó acerca de un libro que su padre guardaba con recelo. No sé por qué carajos se acercó a mí, ni tampoco por qué empezó a contarme cosas de su familia; tampoco presté mucha atención, pues ¿quién demonios se come siete servilletas y luego empieza a balbucear locuras? De todos modos, seguí escuchando lo que decía un poco más antes de terminar mi almuerzo. Sin embargo, algo de todas las tonterías que decía cautivó mi atención. Al parece aquel libro que su padre guardaba tenía una serie de símbolos, extraños y curiosos y según sus palabras, "parecía muy antiguo".

Empecé a entender por qué me había contactado; aparentemente, sabía de mi profundo interés hacia el simbolismo y los idiomas antiguos que constantemente manifesté durante las clases que compartí con él. Me contó que aquel libro lo había adquirido su padre casi por casualidad durante unas vacaciones en Haití. Según me dijo, el autor de este libro era François Loyola, un francés que a su paso por esta isla había recopilado concienzudamente los ritos realizados por los nativos a la diosa del mar, Obhum. A pesar de que la mayor parte de su obra había sido literatura fantástica, este libro parecía ser más una recopilación de una serie de ritos nativos. Mencionó, además, que su padre era un lector ávido y solía asistir a subastas en cada lugar que visitaba en busca de artículos para su colección de objetos extraños. Durante una de las subastas se topó con aquel libro y, a pesar de las advertencias que le hicieron, decidió comprarlo a un precio irrisorio.

Después de aquella conversación Nicolás no volvió a dirigirme la palabra durante un par de semanas. Cada vez que me lo encontraba en un pasillo o un corredor, parecía evadirme con la mirada, como si yo no existiera. Pero cierto día, cuando yo iba de camino a casa, se me acercó por detrás un poco asustado y agitado mientras sacaba algo de su mochila: ¡era el libro! Solo me lo entregó y se fue corriendo.

Las semanas siguientes, la actitud de Nicolás empezó a cambiar, parecía más sociable con los demás, tenía algunos amigos e incluso me saludaba y conversábamos de vez en cuando. Por supuesto, jamás mencionamos lo que él me entregó ese día.

Por mi parte, estaba obsesionado con el libro. En un principio me interesé por los ritos que se practicaban y sus descripciones exactas y concretas, pero al final terminé superando mi obsesión y lo tomé por lo que era: una loca historia de ciencia ficción. Así que poco después lo olvidé y quedó botado en un espacio de mi biblioteca.

No me acordaba de estos acontecimientos ni del libro hasta el momento de aquella llamada. Por teléfono, Nicolás me contó qué había pasado con su vida en los últimos años y mencionó la angustia que padecía a raíz de una serie de eventos desafortunados. Me comentó acerca de unos de los rituales mencionados en el famoso libro; sin embargo, no pudo continuar y la llamada se colgó inesperadamente.

Decidí correr a mi biblioteca a buscar el tan mencionado objeto. Busqué como loco: saqué todos los libros del estante, revisé en cada rincón, debajo del escritorio, encima de los anaqueles, pero fue hasta que me rendí y caí cansado sobre el piso que lo vi debajo de una de las patas de la mesa como soporte para equilibrarla. Me apresuré a retirarlo y fue tal mi descuido que rajé varias de sus hojas en mil pedazos.

Después de recopilar los trozos de aquel libro maldito, Nicolás pudo realizar el ritual prohibido siguiendo las inexactas e incompletas instrucciones que lograba entender del texto. Cuando empezó a relatarme todo el proceso (y decidió no contarme algunas partes por mi seguridad y para que este horror no me alcanzase), también mencionó que una de sus obligaciones para resarcirse de la carga era que debía advertirle a todo aquel que conociese acerca del peligro inminente que se cernía sobre el futuro. Insistió que la única manera de lograrlo era que la gente se suscribiera a su canal y haría lo que fuese necesario para cambiar el futuro. De esta forma fue que se creó el primer canal de YouTube de Nicolás: youtube.com/thedevilwearsvitton.

Con el tiempo olvidó el objetivo primordial de su canal y me denunció por una biografía no autorizada que estaba en progreso. En este momento me encuentro en un manicomio, y he tenido que seducir a los enfermeros para que enviaran esto a mi editor. El peligro es inminente y pronto tendré la pena de muerte por tratar de escapar y haber matado en el intento a Napoleón Bonaparte y a varios de su ejército. Será una ejecución rápida en el jardín central el viernes que viene, allí también estará María Antonieta.

† LA CARTA †

Para cuando lleguen a esta página del libro, se habrán dado cuenta de que desperdiciaron su dinero en algo completamente estúpido, pero ¡hey!, qué podría ser más genial que tener un libro escrito por tu youtuber favorito que nunca en su cochina vida ha escrito un libro o algo más allá de un par de párrafos ilegibles. Pero bueno, felicidades, ahora eres dueño de un libro con dos cuentos supremamente horribles y debo continuar escribiendo para entretenerlos a ustedes, mis queridos y horribles lectores que decidieron comprar este pedazo de bazofia... o tal vez lo compraron ilegal, en la mitad de la calle a alguien que lo imprimió en una galleta; en ese caso, me dan vergüenza por no apoyar mi falta de talento comprando mi libro original. Vamos, gente, si muchas personas compran el original, los señores de la editorial prometieron liberarme del calabozo en el que me tienen atrapado con cien monos para escribir la mejor novela de la historia... Jajajaja (estas risas no son falsas, como sus vidas). Por cierto, damos un breve espacio entre cuento y cuento para publicar una carta que recibí.

Hoy me escribió una vieja conocida y mi corazón se llenó de gozo por tiempos pasados, aquellos tiempos que se roen entre las herrumbres del olvido, y cito:

"Querido hijo de #$%&:

Al ver al bastardo que sembraste en mi útero adolescente esa noche que me embriagaste con alcohol etílico, te recuerdo. Miro su nariz, que es la misma tuya, y me entran unas indescriptibles ganas de estrangularlo, pero algo me lo impide, algo indescifrable, ah, ya sé... me rompiste la espalda con una sombrilla playera. Cambiar sus pañales, me recuerda la época en que solía cambiar los tuyos, adjunto una demanda por alimentos.

Cada noche sufro mucho, no puedo dormir, pensando que en tu boca se esboza una sonrisa, jodido hijo de #$%&.

Se despide, no sin antes desearte una muerte llena de agonía y pústulas.

Gonzalo."

He aquí, mi respuesta:

"Hola, Gonzalo:

Te reitero que tu condición de centauro te impide concebir un hijo humano, aquello que llamas 'bastardo' no es más que un mojón que cobró vida y extrañamente se parece a mí; como todos los mojones.

Me despido no sin antes recordarte que vivimos en la misma casa, y deberíamos dejar de usar esto para hablar."

†

SOLICITUD

†

Escribí esto mientras escuchaba el álbum de *The Pale Emperor Deluxe* de Marilyn Manson, así que si quieren, pueden escucharlo mientras lo leen, y si no, se pueden ir al carajo y seguir escuchando *El taxi* (para cuando salga este libro tal vez y solo tal vez, con la ayuda de una guerra nuclear, esa canción habrá sido borrada de la faz de la tierra... Bueno, un hombre puede soñar).

La oscuridad de la noche se adentraba por la ventana del cuarto de Dan, como la oscuridad que se adentra en tus ojos cuando los cierras (o lo que sea, solo estoy tratando de ser profundo). Adentro, él tecleaba en su computador sin cesar hablando con personas que tal vez nunca conocería en su vida, pero que lo hacían sentir mejor que cualquiera que hubiera conocido. Dan no necesitaba amigos, novia, o interacción con otros seres humanos, le bastaba su computador (así es, escribí esta parte para que te identifiques, querido lector que no sales de tu casa porque te la pasas metido en Internet. ¡Wow!, qué genial e inventivo soy escribiendo).

Su padre trabajaba hasta tarde y su madre había muerto hace años después de un accidente de tránsito ocasionado por su padre, quien iba manejando esa noche. La versión oficial de la policía decía que era la madre de Dan quien iba al volante mientras su padre iba en el asiento delantero inconsciente cuando el auto chocó contra unos árboles y una de las ramas del tronco atravesó el parabrisas y a la mamá de Dan, dejándola como un malvavisco a la parrilla (y digo a la parrilla porque el auto se había incendiado).

Desde el accidente, su padre no parecía ser el mismo. ¿Quién lo sería después de que su esposa fuera atravesada por un árbol dentro de un auto mientras presencias todo? ¿Se imaginan despertar con la imagen de su esposa/novia/amiga/almohada otaku/mano, etc. siendo devorada por el fuego y no poder rescatarle? Bueno, yo tampoco, continuemos. Su padre actuaba distinto, se veía distinto y hablaba ligeramente distinto; sin embargo, a nadie parecía importarle o notarlo a diferencia de Dan. Para él, siempre y cuando su padre se viera como su padre, y hablara como su padre, era suficiente para que el resto de la gente que no reparaba en ningún detalle, o tal vez no quisiera hacerlo, porque en el fondo a nadie le interesa la vida de los demás mientras parezcan y se vean normales (y si a ti te interesa la vida de alguien más es porque eres un cochino chismoso y mereces que te caiga un meteorito en el ano).

(Wow, todo esto de escribir otra historia me ha dado unas ganas terribles de cagar, ¿debería ir o seguir escribiendo mientras cago? ¿Aguantarme las ganas o hacerme en los pantalones? ¡OH, APIÁDATE DE MI INSPIRACIÓN Y NO PERMITAS QUE LA CHISPA DE MI IMAGINACIÓN SE APAGUE EN LA RIVERA PLUTÓN! Demasiado tarde, ¿esto lo escribí o lo pensé? ¡Mi#$%a!, bueno, qué carajos importa. Si están leyendo esto, envíen un *tweet* a @nikoarrieta con el número 6969 ¡Qué moderno! Mírenme, uso la palabra *tweet* en un libro. Ojalá me muera...).

Volviendo a la historia...

Al escuchar la camioneta de su padre acercarse a la entrada del garaje, Dan decidió apagar el computador y la luz rápidamente, después se metió entre las cobijas y fingió estar dormido (¡Oh! Nicolás escribió algo para que nos sintamos identificados, ¡wow! Estamos muy impresionados, vamos a comprar quinientas copias más de este libro, para quemarlas en honor a nuestro señor Chuthulu). Después de todo, no quería que su padre entrara a decirle que apagará el computador, no quería confrontarlo, prefería evitar cualquier tipo de contacto con ese hombre que parecía ser su padre. Claro, como cualquier adolescente, como tú, sí tú, que estás leyendo esto —a menos que seas uno de esos hombres horribles cuarentones y depravados que ve mis videos, o una de esas señoras que está tratando de revisar que está leyendo su hijo/a.

Al escuchar que su padre se iba a dormir, volvió a encender el monitor de su computadora y siguió como si nada, revisando la página de la Real Academia Española, leyendo artículos de índole científica ~~y masturbándose obsesivamente con imágenes de pulpos y japonesas~~. Cuando dio fin a sus actividades, decidió revisar su perfil de Facebook, donde encontró, como siempre, una solicitud de Candy Crush y juró por su madre muerta que si alguien le volvía a enviar una solicitud de este juego lo iba a torturar de la forma más espantosa conocida por la humanidad. Bueno ya, Dan no juró eso, simplemente le dio "ignorar" y continuó con su vida. La nostalgia lo invadía, así que entró al perfil de su difunta madre para recordarla un poco. No podía sacarse la de la cabeza la idea de que estaba muerta, y de que haría lo que fuera necesario para traerla a la vida, así fuera a mantener relaciones sexuales con pulpos y mujeres japonesas (por favor, no vayan a *googlear* esto o la van a pasar mal).

Al terminar de cargar la página entró a sus fotos de perfil y navegó por varias de ellas. No pudo contener las lágrimas: allí estaba él de pequeño con su padre. Siguió buscando y mirando las fotos, y entre las más recientes se encontraba una de su madre con otro hombre, un señor que Dan no reconocía y nunca había visto en su vida. No era su padre, era un extraño. Con cada foto, el miedo y la rabia iban aumentando, ¿acaso su madre había estado escondiéndose de él? ¿Acaso su padre sabía de todo esto? ¿Acaso todavía quedaría leche en la nevera para comer con cereales? Su cerebro se inundaba con preguntas y ganas de comer cereal. Así que para pensar mejor, bajó a la cocina calladamente, pero cuál sería su sorpresa al encontrar a su madre en el piso del comedor, con un peluquín muy parecido al pelo de su padre, una barba falsa y muchas pastillas para dormir.

En ese instante lo entendió todo: su madre se había estado haciendo pasar por su padre durante meses y, aparentemente, él era lo suficientemente estúpido como para nunca haber dicho nada o darse cuenta (¡wow!, ese fue un final rápido, espero mejorarlo, ¿a quién quiero engañar?).

✝

EL
ESPEJO

✝

A veces me gusta mirarme al espejo durante horas. Me gusta observar cada detalle de mi cara, cada pelo, cada imperfección, cada poro, cada cicatriz. Me gusta mirarme a los ojos, fijamente, perderme dentro de ellos, navegar durante horas y ver mi reflejo infinito en él. Me gusta sonreírme, llorar, subir mis cejas y preguntarme si allí dentro de ese espejo habrá un mundo mejor. Me gusta creer que dentro de ese espejo no pasa nada malo, si cada vez que vengo a mirarme tengo la oportunidad de ir a ese lugar e intercambiar mi puesto con ese otro yo que vive en un lugar donde todo está bien, que no le preocupa nada más que el impulso de verse al espejo, tal como el que tengo yo sin motivo alguno.

Me gusta creer que en un punto puedo tocar el espejo, jalar a ese yo que vive adentro y traerlo a este mundo horrible para que tome mi lugar y se sienta indefenso, vacío y frío. Que se sienta completamente solo mientras que yo soy feliz en su mundo.

Tomo una gran bocana de aire, y antes de tocar la superficie fría del espejo, de romper la barrera que nos divide, impulso mi cabeza hacia atrás y luego hacia adelante con toda la fuerza que tengo para que la delgada línea que nos divide se rompa. Despierto, desconcertando, rodeado de pedazos de espejo y sangre en el piso del baño. "Esta vez no funcionó", me digo. "Ya será la próxima", me miento.

Y eso, niños, fue un tutorial de lo que deben hacer antes de que se les ocurra escribir alguna pendejada profunda: golpearse la cabeza con un objeto contundente para evitar hacer el ridículo enfrente de sus amigos (suponiendo que los tienen, pero si están leyendo esto, lo dudo).

✝

CUENTO
DE NAVIDAD 1

✝

Navidad, una de las épocas más hermosas del año, donde toda la familia se reúne y el odio que se tienen se olvida por un par de semanas. En la mayoría de los países, se llenan de compras sin sentido y los invaden los colores rojo, blanco y verde. En las casas ponen árboles de plástico, o tal vez reales, cubiertos de adornos de colores y nieve artificial, las calles se llenan de luces y los corazones de la alegría de comprar. Definitivamente, no existe nada mejor que la Navidad.

En la víspera de Navidad, un pequeño niño se prepara para recibir a Santa Claus, mientras escucha los fuegos artificiales y los gritos de la gente que baila a lo lejos, listos para celebrar el nacimiento de su salvador. Gracias a la ansiedad que siente por recibir los regalos que pidió días antes en una carta muy elaborada, donde escribió elocuentemente lo bien que se había portado durante el año y una lista muy detallada de todo lo que deseaba recibir. Asimismo, adjuntó un dibujo de cada uno de los regalos en su carta y se la entregó a sus padres varios días antes de Navidad.

Ha llegado la noche del 24 de diciembre y el pequeño permanece despierto durante unos largos minutos, pero al final el cansancio termina venciéndolo y se duerme. Le arrullan los sonidos de su vecino ebrio golpeando a su esposa mientras su hijo grita.

Despierta el 25 en la mañana, y por cinco segundos, no recuerda que es la mañana de Navidad; su mente divaga en blanco, cuando logra volver en sí, lo enloquece la adrenalina de saber que, como en sus películas favoritas, le esperan debajo de su árbol los regalos que pidió. Baja corriendo las escaleras y se encuentra con nada bajo el árbol, en ese momento recuerda que él y su familia son pobres.

✝

SIGNIFICADO
DE
LAS HECES

✝

¿QUÉ NOS QUIEREN DECIR LOS ÁNGELES
A TRAVÉS DE ELLAS?

No he dormido en varios días, pensando, analizando, cubriendo mi cabeza con papel aluminio para evitar que me espíen y demás cosas que se hacen cuando se necesita algo de ayuda profesional. Hoy vengo a regalarles un poco de sabiduría mañanera, como sabrán la mayoría de ustedes, los libros de autoayuda son una gran herramienta que nos brindan seres iluminados, mentes brillantes, superdotados, etc.

Así que me dije a mí mismo: "Mí mismo, tú, y solo tú, tienes lo que se necesita para escribir algo de superación personal: tienes tu cabeza cubierta de aluminio, no duermes, crees profundamente en arrancarle el dinero de la manos a las personas estúpidas por cualquier medio necesario sin entrar en un delito implícito, y te gusta escribir pero no lo haces muy bien".

Y así me di a la tarea, como dijo alguna vez Paulo Cohemelo: "Vamos a inventarnos un montón de soluciones obvias y vamos a vendérselas a un montón de idiotas, a través de metáforas estúpidas y confusas".

¿Ven eso que hice ahí?, esa es una parte muy importante de la superación personal: "Poner todo entre comillas para que suene que lo dijo alguien más", así me lo enseñó Buddha La-meladu Ro.

Bien, no siendo más y dejando a un lado las introducciones, vamos con los casos de éxito en ventas:

1. ¿Cómo llegué a ser una persona tan exitosa y millonaria? (Título del libro)

~~Respuesta obvia: vendiéndoles a idiotas como usted este libro.~~

Yo le hice comprar este pedazo de basura, piense positivo.

2. Del mismo escritor del *best-seller*, *Si matan a la gente, se muere*, llega su nuevo libro, *La muerte no es el fin*.

~~Esto de vivir me está matando.~~

Y demás títulos asombrosos, emocionantes pero sobretodo divertidos.

Ahora, vamos con mi caso de éxito:

Yo era una persona como ustedes, estaba en mi computa-dor todo el tiempo, con la cabeza y el pene cubierto en pa-pel aluminio, esperando una señal de la nave madre mien-tras me masturbaba compulsivamente con pornografía de la Europa Oriental, cuando un día me vino algo a la ca-beza (aparte del sangrado habitual): me encontraba en mi baño, defecando y justo tomé el papel higiénico, lo miré y un resplandor me iluminó, y así se denomina mi nuevo capítulo: "Significados de las heces, ¿qué nos quieren decir los ángeles a través de ellas?".

Los ángeles nos hablan cada vez que vamos al baño y revisamos el papel. Allí encontramos mensajes escondidos de nuestros ángeles de la guarda.

†

QUERIDO
DIARIO 1

†

Llevo ya casi dos semanas escribiendo este libro y todo se torna confuso. Tengo miedo de que la gente lea esto y empiece a creer que soy algún tipo de marginado infantil. También quiero contarte, querido diario, tú que me entiendes, que últimamente me siento solo y no hay pornografía que pueda llenar este vacío existencial. Me gustaría saber si alguien se siente igual que yo. Bueno, diario, espero que nadie que me conozca lea este libro, porque si no jamás seré capaz de volver a mirarlos a sus genitales; me moriría de la vergüenza. Son las 4:10 de la mañana y sigo despierto, me pregunto si habrá algo mal en mí.

Mi madre había enfermado y eso solo significaba una cosa: tener que viajar hasta el pueblo donde nací, a un par de horas de la ciudad donde vivo. No me molestaba tener que hacer el viaje, ya que siempre me había gustado manejar, lo que realmente me molestaba era tener que ver a mi madre; era una mujer nefasta, no estaba complacida con nada de lo que hiciera su hijo o su marido, o nadie, en realidad.

Nunca la había visto sonreír en mi vida, excepto, tal vez, el día que murió mi padre. Ese día fue uno de los peores y mejores días de mi vida, ya que horas después de que fue enterrado, tomé la decisión de irme de casa, con tan solo 17 años. Preferí salir sin rumbo que vivir un infierno sin mi padre, ya que él era lo más parecido a una familia que había conocido.

Tiempo después retomé el contacto con mi madre. Recuerdo que apenas me vio, me preguntó: "¿Quién eres y qué quieres?". Le respondí: "Soy tu hijo", y ella finalizó la conversación tirándome la puerta en la cara y gritando entre dientes: "Yo no tengo ningún hijo". Intenté ir varias veces a su casa durante los días siguientes pero solo recibí las mismas respuestas negativas.

El día de mi regreso a la ciudad me di por vencido y me juré nunca volver a pisar este maldito pueblo, con su gente horrible y con mi mala madre. Pero no me iba a ir sin antes decirle un par de cosas. Fui temprano en la mañana a su puerta y le grité a todo pulmón: "¡ESCÚCHAME BIEN, MADRE, Y SÍ: MADRE, PORQUE DESAFORTUNADAMENTE SOY TU HIJO. ME VOY. ME VOY DE ESTE PUEBLO MALDITO Y NUNCA ME VOLVERÁS A VER". Al terminar de gritar esto la puerta de su casa se abrió y mi curiosidad no me permitió marcharme sin antes entrar.

Lo primero que vi al pasar por la puerta principal era que la casa estaba completamente cubierta de polvo. Parecía que nadie había pasado un trapo o una escoba por ninguna parte en años. Caminé hacia la cocina y allí me recibió mi madre con un trapeador, varios trapos, un balde y demás utensilios de limpieza diaria; aparentemente, su plan era que yo limpiara la casa. Pensé en rehusarme e insultarla pero el sentimiento de culpa inexplicable que sentimos los seres humanos con nuestra familia me lo impidió, así que hice lo que me pidió rápidamente y me despedí de ella. Su única respuesta fue: "¡Qué trabajo tan mediocre!". Ignoré su comentario y le dejé mi número telefónico en caso de alguna emergencia.

Durante los siguientes meses seguí viajando a visitarla y a limpiar su casa, pero siempre recibí desaires de su parte, jamás una palabra de afecto. Sin embargo, ella seguía siendo mi madre.

Después del largo viaje hacia su casa, toqué la puerta y me recibió uno de los doctores del pueblo. Me comentó que mi madre le había dado mi número de teléfono y que ella se encontraba muy grave, pues no podían saber lo que tenía porque se rehusaba a visitar el hospital. "Es normal que una mujer de tan avanzada edad simplemente quiera morirse. Debe usted prepararse", me dijo. Pero si quería morirse, ¿para qué carajos llamaba un doctor a su casa?, pensé. No tenía sentido, sin embargo era mi madre y toda la vida su actitud tuvo poco sentido.

Pasaron los días y su condición empeoró. Estuve cada momento a su lado hasta que pasada una semana y media, me llamó a su habitación... Sus últimas palabras quedaron para siempre en mi mente: "¿Recuerdas cuando eras pequeño?", preguntó. Yo solo le dije: "Sí, madre". "Bueno, tal vez no lo recuerdes muy bien, todo era muy confuso, te fuiste y nunca más volvimos a saber de ti, pero tu casa... tu casa... tu casa era la del lado".

✝ QUERIDO DIARIO 2 ✝

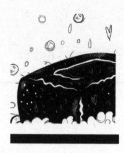

Wow, otro cuento increíblemente bien escrito por Nicolás Arrieta, ¡esto es genial!

Nadie nunca en su vida

Aprovecho este espacio para hacer un servicio a la comunidad y responder alguna de las cartas que nos envían los fans a mi *e-mail*: frikicachondo23@correocaliente.com

"Querido Nicolás, amo tus programas, tus videos, incluso, amo la forma en la que te ves muerto por dentro y sin esperanza en cada fotografía que subes a tu Facebook. Espero que beses la mitad de bien que tus fotografías (que tengo impresas y pegadas en las paredes). Cuando me enteré que ibas a escribir un libro (y no voy a mentirte) ¡me emocione bastante! Con tu poco conocimiento acerca de las normas ortográficas y tu discurso pobre y sin sentido, seguro que tu libro será un éxito y yo seré el primero en comprarlo; eso sí, mi sueño cuando salga de la cárcel es ir a verte en uno de tus *tours* y poderte decir lo mucho que te amo."

Brayan Estiguar

Respuesta

Querido Brayan Estiguar, primero que todo quiero saludarte y agradecerte por todo el apoyo. Espero que en la cárcel no te hayan violado... tanto. Me encanta recibir este tipo de cartas y creo que te vas a emocionar bastante cuando sepas que tu carta ha aparecido en nuestro libro. Muchísimas gracias por creer en mí y por poner fe en mi sueño: siempre había querido escribir un libro desde que la revista *El masturbador compulsivo del mes* rechazó mis historias por ser subidas de tono y demasiado "repugnantes". Espero ponerte una orden de caución algún día.

Mis peores deseos.

Frikicachondo (también conocido como Rey del Universo o, mejor, Nicolás Arrieta)

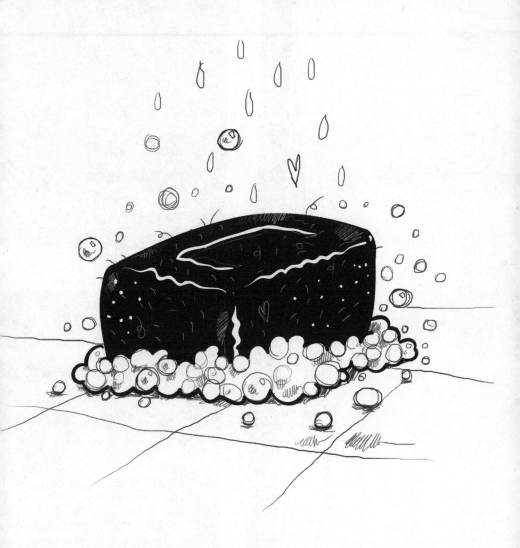

† PINTURA †

Venía corriendo, no sabía lo que lo perseguía, pero estaba seguro de que "eso" tenía planes de matarlo. Ya sin aliento, en medio de ese bosque oscuro, encontró una cabaña abandonada donde decidió intentar pasar la noche y esperar que "eso" que le perseguía no pudiera alcanzarle a la mañana. Abrió la puerta, encendió varios fósforos y se dio cuenta de que todo estaba cubierto de moho. La oscuridad y los años habían hecho estragos en la pequeña cabaña que, por supuesto, estaba vacía, a excepción de una horrible pintura en la pared.

Decidió obviar el detalle y preocupado por "eso" que lo perseguía, intentó permanecer en silencio e intentar dormir. Cerró sus ojos y olvidó por un segundo su paranoia. Así logró dormir una o dos horas, pero despertó súbitamente aún con los ojos cerrados; sentía que algo lo observaba, que ese algo estaba esperando el momento preciso para atacarle. Encendió un fósforo rápidamente para poder tener algo de luz y descubrió que no había absolutamente nada, era solo su imaginación jugándole malas pasadas. A la mañana siguiente despertó y aterrado se dio cuenta de que aquello que estaba en medio de la sala no era una pintura, sino una ventana.

✝ CIRCO ✝

El viejo ventilador Westinghouse carraspeaba con fuerza, sus aspas carcomidas por la herrumbre se retorcían en una noche de calor húmedo, el aroma del óxido me sacó de la somnolencia. Desesperado, intenté recoger los fragmentos de mi sueño roto intempestivamente, pero era tarde. La brea negruzca de la realidad había empezado a filtrarse por las enmohecidas paredes y acabó por inundarlo todo. Era el 26 de octubre de una primavera que hedía a vida, y como cada día desde hace cuatro años que eso pasaba, en unas horas tendría que encontrármela de nuevo.

El primer halo de luz solar atravesó mis ojos como una flecha de fuego, ante mí se abría la avenida. Un puñado de árboles adustos eran los últimos testigos de la gloriosa esterilidad del invierno que concluía. Ahora la vida se hacía paso como una peste virulenta. Aceleré el paso hasta descender en las entrañas del subterráneo, aspirando fuerte llené mis pulmones del embriagador perfume a madera podrida de la línea. Fue entonces cuando la vi. Nos saludamos como se saludan un par de extraños y caminamos hasta el café más cercano que estaba repleto de personas cuyas conversaciones jamás serán oídas y estarán perdidas para siempre. Nos sentamos, ella ordenó un capuchino y yo solo encendí un cigarro. Nos miramos largamente sin musitar palabra alguna. Al cabo de quince minutos rompí el silencio abruptamente con una sola palabra:

—¡SOL! —grité.

Ella, acostumbrada a mis continuos ataques de espontaneidad, se limitó a prestarme atención, avivó sus ojos y continué:

—Sol —dije en voz baja—, la soledad del sol, que solos estamos los soles, rodeados de planetas, de planetas tan distintos a nosotros, solamente brillando para ellos, nos necesitan, ¿pero los necesitamos nosotros? Distantes de nuestros iguales, estamos condenados a morir en soledad y jamás conocer alguna estrella igual a nosotros, porque ellas se encuentran rodeadas y lejanas en sus propias galaxias. Yo doy luz, ¿pero quién me da luz a mí?

—¿Y yo qué soy? —preguntó con los ojos muy abiertos a pesar de su cara inexpresiva.

—¿Tú? Tú eres una luna, tú reflejas mi luz, pero no hacia mí, hacia los demás. Eres el espejo retorcido de mi alma y llegado el momento te haré añicos diluyendo mi existencia en tu sangre, perdiéndome a mí mismo para siempre—. Me miró como si estuviera completamente loco, como se mira a un perro comiéndose su propio excremento. Aparentemente ella no entendía, no entendía la angustia que inundaba mi existencia.

—Estás loco —susurró.

—Oh, querida, ¿qué es la cordura? La cordura es tratar de convencer a los demás de que no estás loco, esperando que con convencer a los demás de que. estás bien logres engañarte a ti mismo y lo estés. La cordura es como perder las llaves de tu casa, buscar en tus bolsillos y engañarte a ti mismo diciéndote: "Las deje adentro", "Deben estar en el carro", pero en el fondo sabes bien que están perdidas para siempre, como tu alma condenada a vagar por el Estigia.

—Lo que dices es aburrido, a nadie le importa un carajo. Vete a la mierda —me dijo y luego me tiró el capuchino en la cara y se fue. Afortunadamente, estaba frío después de todo lo que dije.

Moraleja de este cuento: a nadie le importan tus problemas.

† CUENTO DE NAVIDAD 2 †

Desde que era muy pequeño siempre me portaba mal. No me gustaba la idea de que un hombre gordo vestido de rojo entrara a mi casa sin ser anunciado. Una vez al año, de improviso, se metía por tu "chimenea", y si no tenías, se entraba por la puerta, y justo debajo del árbol dejaba regalos sin alguna razón aparente. Si algo aprendí es que nadie te da algo sin querer algo a cambio.

Alrededor de los ocho años decidí investigar. Mi madre me dijo que al día siguiente sería Navidad y no tenía otra opción más allá que emboscarlo. Mi plan era sencillo: dormir todo el día en contra de la voluntad de mis padres y luego aparentar que estaba muy cansado en la noche e irme a la cama temprano, cerrar los ojos en el momento en el que mi madre fuera a arroparme y fingir que dormía. A continuación, tenía que esperar a que mis padres se fueran a su cuarto para bajar las escaleras sigilosamente y descubrir por fin quién era este hombre obeso. El plan fue un éxito; bajé y me escondí detrás del sofá. Al pasar unos minutos (tal vez fueron horas, no estoy seguro), escuché un ruido; sin embargo, no pareció ser nada. Esperé y esperé la venida de Santa toda la noche pero nada parecía pasar, mis lágrimas de frustración y dolor cubrían el sofá. Una vez que Santa se vino, se puso la ropa y se fue.

✝ PREGUNTAS EXISTENCIALES Y REFRANES POPULARES ✝

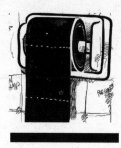

- ¿Por qué siempre que venía Santa Claus a casa su aliento, su voz y la forma de gritar a tu tía era la misma que la de tu tío?

- ¿Por qué todo junto se escribe separado y por qué se separaron tus padres y ninguno te quería?

- El mundo es redondo y lo llamamos planeta, si fuera plano ¿sería "putorraider"?

- ¿Cuántos pares son tres verrugas en la cara de alguien?

- ¿En el vacío un mentiroso y un cojo caen al mismo tiempo?

- ¿El dinero es la raíz de todos los bienes?

- Quien siembra vientos, es un completo imbécil, los vientos no se pueden sembrar, ¡DIOS! ¿quién CARAJOS SE INVENTÓ ESTAS COSAS?

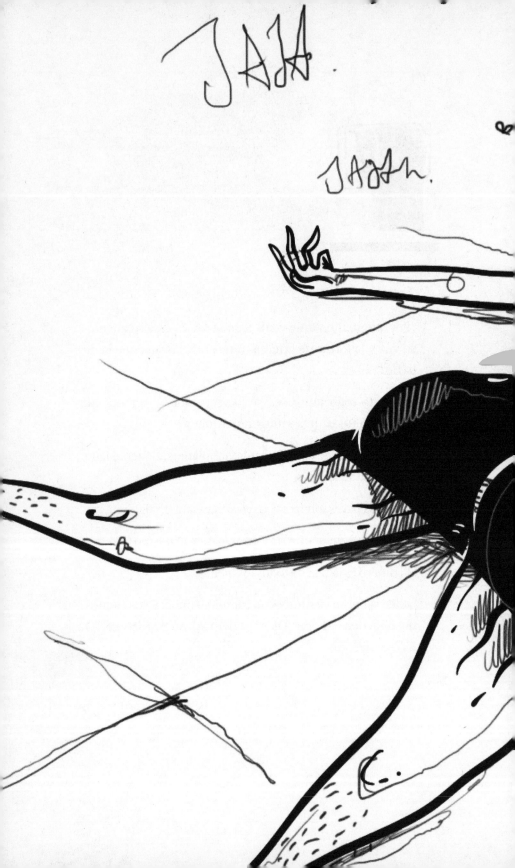

✝

UN CRIMEN
SIN RESOLVER

✝

Eran las tres de la tarde en el colegio Número Tres. Todos los niños estaban ansiosos por salir y regresar a sus casas, todos los salones estaban llenos y el silencio reinaba, a excepción de un par de niños de preescolar que se escuchaban en el fondo. Incluso se oía el *tic tac* del reloj y se podía palpar en el aire la ansiedad de la tan esperada campana que anunciaba el fin del día escolar. De repente, un grito de mujer rompió el silencio.

En pocos segundos, las miradas consternadas buscaron en los salones y se abrieron las puertas de cada una de las aulas. Uno por uno, los profesores fueron saliendo a buscar el origen de este grito aterrador. Alrededor del baño de hombres se fueron congregando poco a poco los profesores, se prohibió la entrada a los alumnos y los profesores no respondían ninguna de las preguntas que se hacían los estudiantes. Como en cada colegio, los rumores se fueron regando, algunos decían que alguien había sido asesinado, otros decían que habían encontrado a unos alumnos teniendo sexo con una cabra, también se decía que había una secta que intentaba convocar al fantasma de una monja, ya que antes de que el colegio fuera construido había sido un monasterio arrasado por los indígenas y cuya única sobreviviente fue esta monja, que después de pre-

senciar la barbarie decidió colgarse del único árbol del colegio.
Se decía, además, que la secta había conseguido traer a este
espíritu, y que el grito fue producto de su liberación al plano
terrenal. Se rumoraba también que alguien había gritado simplemente porque se le había olvidado el papel higiénico. Pero
la verdad era mucho más aterradora que todo esto.

Después de una reunión de todos los profesores donde
estaba incluido el rector del colegio, se decidió hacer público
en frente de todos los estudiantes la verdadera razón del grito:
que alguien había defecado fuera del inodoro y una de las mujeres del personal de limpieza había encontrado el baño así. Su
reacción fue tan grave que la llevó a gritar y a desmayarse, cayendo de cara sobre las heces. También había algo más: uno de
los profesores había encontrado un dulce encima de las heces,
específicamente una "chupeta de sabor fresa". Se presumía
que la mujer del personal de limpieza la llevaba en la boca; sin
embargo, luego del incidente ella había decidido renunciar
comentándole al rector: "Ustedes son unos asquerosos, estoy
harta de su mierda".

Los días pasaron y el incidente se fue olvidando, todo había
regresado a la normalidad y nadie parecía hablar de lo ocurrido... hasta esa tarde de viernes cuando uno de los profesores,
en sus recorridos rutinarios de vigilancia a los estudiantes,
entró al baño y descubrió exactamente lo mismo que había
descubierto la mujer de la limpieza: un montón de caca des-
proporcional y esta vez se podía observar (según palabras del
profesor) el borde de una chupeta de fresa. Inmediatamente,
el profesor clausuró el baño y llamó a una reunión extraor-

dinaria de profesores en la cual se ordenó no hablar del tema para no darle la relevancia que busca el perpetrador y simplemente "hacer como si nada hubiera pasado".

Cuando los estudiantes salieron de clases y encontraron el baño clausurado empezaron a sospechar; sin embargo, solo hicieron un par de comentarios acerca del "cagador serial", que pasaron desapercibidos. Al día siguiente, uno de los hombres del personal de limpieza había renunciado.

Todos los estudiantes fueron reunidos en el auditorio para uno de esos populares festivales de la cultura. Adentro, las cortinas del escenario estaban cerradas y todos se iban sentando en silencio, esperando a ver las más grandes obras de la literatura y la danza ser masacradas por niños y adolescentes. El telón se abrió y en medio del escenario se podía ver claramente una cantidad significativa de heces con un chupetín rojo introducido de cabeza en la mitad. Las risas explotaron por todo el auditorio, que tan solo fueron opacadas por los gritos de los profesores: "¡CIERREN LAS CORTINAS!", "¡¿CÓMO ES POSIBLE QUE ESTO PASE?!", "¿ACASO NADIE REVISÓ EL ESCENARIO?", "¡A LA GRANDE LE PUSE CUCA!", "¡LISA NECESITA FRENOS!".

Al terminarse de cerrar el telón nuevamente, los estudiantes fueron llevados hacia el campo de fútbol, donde el rector los formó en filas y les empezó a hablar. Se podía notar la tensión en el aire. A la primera fila de estudiantes se les dio un abrigo impermeable para que no fueran bañados por la saliva del rector.

"¡ES INCREÍBLE QUE ESTO PASE EN UN COLEGIO COMO ESTE!", vociferaba mientras agitaba una bolsa transparente llena de heces y un chupetín rojo que danzaba dentro de ella; "NO VAMOS A PERMITIR ESTE COMPORTAMIENTO EN EL COLEGIO. CUALQUIERA QUE SEA EL CULPABLE, SERÁ EX-PULSADO Y EXPUESTO PÚBLICAMENTE". Su discurso termi-nó y los estudiantes se fueron a sus casas.

Durante las semanas siguientes, a pesar de la vigilancia de los profesores, fueron apareciendo más y más heces con un chupetín en la punta: un par en el baño de mujeres, otros en el baño de hombres. Por esos días, un profesor vio a un estu-diante acercarse al baño con una caja sospechosa y decidió seguirlo hasta el baño, donde encontró que llevaba heces con un chupetín encima. No obstante, llegaron a la conclusión de que era un imitador del ya conocido "cagador serial", ya que el original siempre dejaba sus heces calientes, mientras que el resto parecía traerlas de su casa, puesto que estaban deformes y muy sólidas para ser recientes. Así que el profesor empezó a vigilar quién compraba estos chupetines rojos, pero siguieron sin dar con el verdadero culpable.

Se dice que la última obra del "cagador serial" original —y con la que cerró sus cagadas seriales—, la hizo en frente de la puerta del baño, desafiando a todos y haciéndolo a simple vista. Sin embargo, no contaba con que un niño de once años que venía corriendo hacia el baño resbalara cayendo de cos-tado y rondando hasta llegar a la pared del fondo del baño, cubierto completamente de caca y con un chupetín rojo pega-do en la cabeza.

El "cagador serial", era yo, ¿por qué lo hice? Bueno, podría dar una explicación filosófica de cómo sentía que el colegio me cagaba y yo tenía que cagarlo de vuelta, pero la verdad es que simplemente estaba aburrido. Por eso les digo: no permitan que el aburrimiento los haga hacer cagadas, sus cagadas, pueden terminar cagando a alguien inocente.

*Basado en hechos reales que pudieron nunca haber ocurrido.

✝

TUTORIAL
DE
MAQUILLAJE

✝

¡Hola, hermosuras! Hoy les voy a dar un tutorial de maquillaje muy sencillo por escrito (ya que maquillarse es más fácil que leer un libro).

Paso #1:

Mírate al espejo.

Paso #2:

Llora por ser tan horrible (eso ayuda a lavar el maquillaje de tu rostro de forma natural).

Paso #3:

Vamos a usar una base muy sencilla, puede ser la base de tu cama, la base de tu mesa o una base militar y la vamos a estregar (así es estregar, como si fuera un plato) en esa horrenda carota hasta que olvides quién eres.

Paso #4:

Para las mejillas vamos a usar un poquito de rubor natural, así que vas a recordar esa situación vergonzosa de hace dos años donde te diste cuenta que odias tu vida.

Paso #5:

Para esos labios vamos a usar aceite de cocina para que se vean bien brillantes, como si recién hubieras comido una empanada.

Paso #6:

Este es el paso más importante de nuestro tutorial, toma una bolsa, puede ser de papel o de plástico, córtale dos huecos paralelos a la altura de los ojos y de la nariz (atención, esto es muy importante, no queremos que ninguno de ustedes se muera gracias a este tutorial y nos demande). Ahora, ponte la bolsa en la cabeza.

Y ya está, hermosuras, gracias por leer este tutorial. No olviden que los amo, así no los conozca... ¡Muacks!

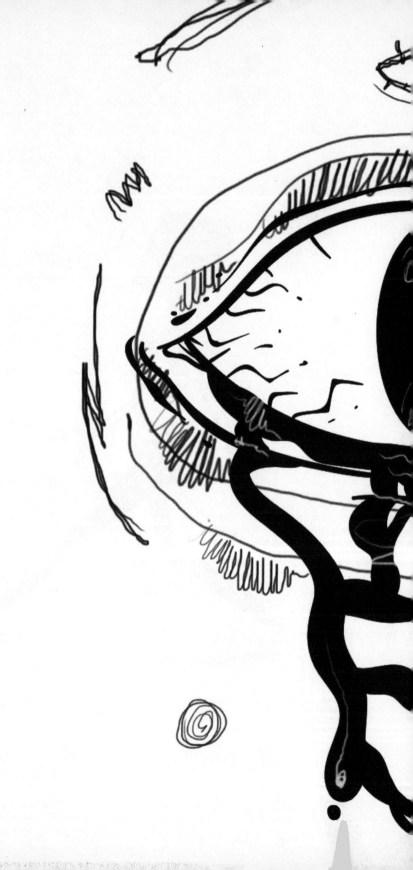

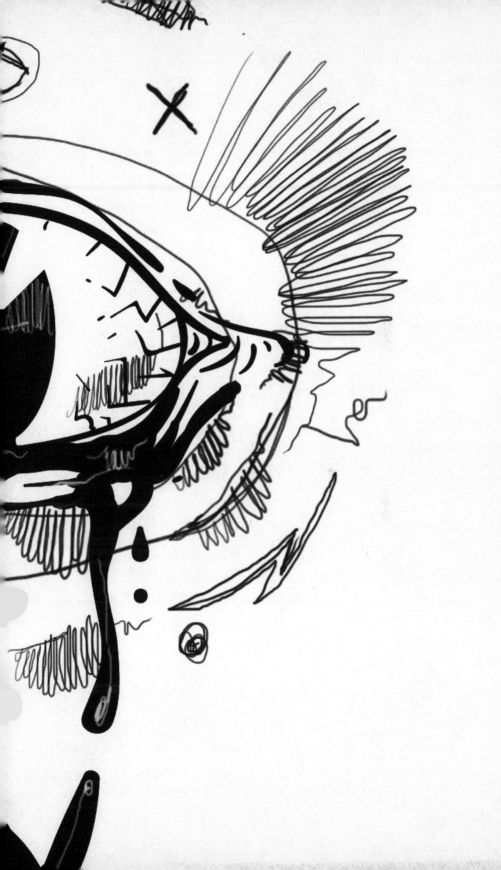

✝

NO ESTOY LLORANDO

✝

¿Qué no entiendes que no estoy llorando? No estoy llorando por ti, no estoy llorando por todo lo que vivimos, no estoy llorando porque decidiste irte y dejarme abandonado en medio de un cuarto frío y oscuro parecido a una caja de zapatos. No, no estoy llorando porque cada esquina de esta pocilga me recuerda a ti, cada pedazo de basura huele a ti, cada cagada de perro que veo en la calle me recuerda al café de tus ojos, cada vez que una paloma es aplastada por un auto y veo su sangre recuerdo al rojo de tus labios por el herpes, cada vez que escucho la alarma de un auto activarse recuerdo el chichillo de tu voz, cuando toco la carne de cerdo en el supermercado recuerdo tus muslos flácidos, y ni hablar del olor a pescado. Últimamente, los únicos pabellones por los que paso que no me recuerdan a ti son el del jabón y el de los perfumes. Cuando pasé mis dedos por el trapero recordé tu pelo. Y no, no, y NO, te recuerdo que no estoy llorando, es que me sudan los ojos.

†

SATÁN
ES MI AMIGO

†

POEMA

Yo tengo un amigo que se llama Satán,

le gusta vestirse de rojo y escuchar *heavy* metal.

Satán es muy bueno, castiga a los malos.

Satán es genial, y no es humano.

Si no andas con cuidado y no eres juicioso,

puede que te meta una piña en el ano.

Mucha gente cree que le puedes vender tu alma a Satán,

pero ¿para qué comprarla si la vas a regalar?

Este pseudo poema solo es para ofender

a aquel que lo pueda leer.

Si no tienes cuidado,

Satán va a venir y te va a dar un regalo.

✝ CONCLUSIÓN ✝

CONCLUSIÓN

Y bueno, chicos, hemos llegado al final de este librito. Espero que lo hayan disfrutado, tanto como yo odié escribirlo y que cada uno de los cuentos sin sentido y mal escritos hayan hecho vibrar sus almas (si es que todavía tienen una). Ojalá que cada uno de los cuentos, "cartas", entradas de diario e historias hayan tocado sus corazones y se hayan identificado.

Quiero decirles que este libro es producto de mi arduo trabajo de varias semanas, en las cuales tuve que consumir cantidades industriales de alcohol y cigarrillos. Quiero, además, darle un agradecimiento muy importante a Nadie, porque siempre estuvo allí para mí. ¿Qué estaba aburrido? Nadie salía conmigo. ¿Qué me sentía solo? Nadie me acompañó. ¿Qué me dolía algo? Nadie estuvo allí para cuidarme.

Gracias también a ustedes, chiquillos, por comprar esta obra de lectura de inodoro, por apoyarme en cada uno de mis proyectos de mierda y por poner su granito de arena para que este libro se posicione entre los peores libros vendidos de la historia... Después de la Biblia (porque es gratis). Nos veremos en la segunda parte de este libro, si es que hay una, o en el infierno.

Espero no estar en la cárcel para cuando lean esto por una demanda de la editorial; y si lo estoy, mándeme cartas.

Pero seriamente, gracias y gracias (de verdad) a todos por ayudarme a cumplir uno de mis sueños desde que era pequeño, desde que tengo mi blog en 2009, desde que escribo pendejadas en el colegio: poder publicar un libro.

Los odio.

Nicolás Arrieta, "El Príncipe Payaso".